MOMIES D'ÉGYPTE

ALIKI

MOMIES D'ÉGYPTE

Traduit de l'anglais par Madeleine Gilard

Éditions du Sorbier
51, rue Barrault
75013 Paris

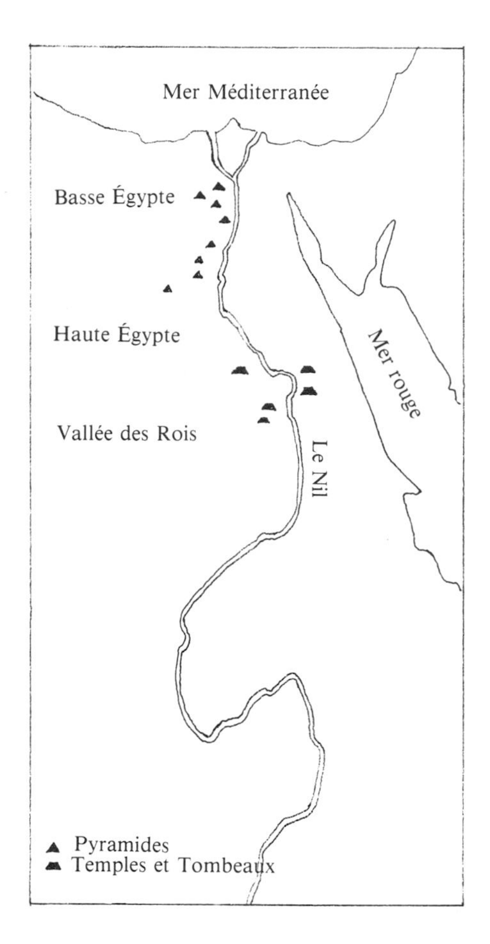

L'ancienne Égypte était une longue et étroite contrée séparée en deux par le Nil. Seule la rive fertile du fleuve était cultivée. Le reste du pays était un désert. C'est là que les Égyptiens de l'Antiquité enterraient leurs morts.

Quelques dieux et déesses des morts.

THOT
dieu des scribes,
à tête d'ibis

HORUS
dieu du Ciel,
fils d'Osiris

OUDJAT
l'œil magique d'Horus,
protecteur des Morts

ANUBIS
dieu des embaumeurs,
à tête de chacal

GEB
dieu de la Terre

HATHOR
déesse de la ville
de Dendérah

ISIS
femme d'Osiris,
mère d'Horus

NEPHTHYS
sœur d'Isis

TEFNET
déesse de l'Humidité

SHOU
dieu de l'Air

RE-HORAKHTY
Horus des Deux Horizons

OSIRIS
Prince des Morts,
dieu du monde souterrain

Les Égyptiens de l'Antiquité avaient un grand désir. Ils souhaitaient l'immortalité. Les Égyptiens croyaient qu'après leur mort, une nouvelle vie commençait. Ils vivraient dans leur tombe comme ils vivaient sur terre. Ils connaîtraient aussi un autre monde, où ils vivraient avec les dieux et les déesses des Morts.

Les Égyptiens croyaient que chacun avait un BA, ou âme, et un KA, ou son double invisible.

Le BA était représenté par un oiseau à tête humaine.	*Le mort et son KA (son double).*

Ils croyaient que quand une personne mourait, son BA et son KA se libéraient du corps et continuaient à vivre dans la tombe.
Le BA rendait visite à la famille et aux amis du mort.
Le KA allait et venait entre le corps et l'autre monde.

Afin que la personne soit immortelle, le BA et le KA devaient pouvoir reconnaître son corps, sinon ils ne pourraient le réintégrer.
C'est pourquoi le corps devait être préservé, c'est-à-dire "momifié".

Le BA retrouve la momie la nuit.

On croyait que les morts voyageaient vers l'autre monde en bateau.

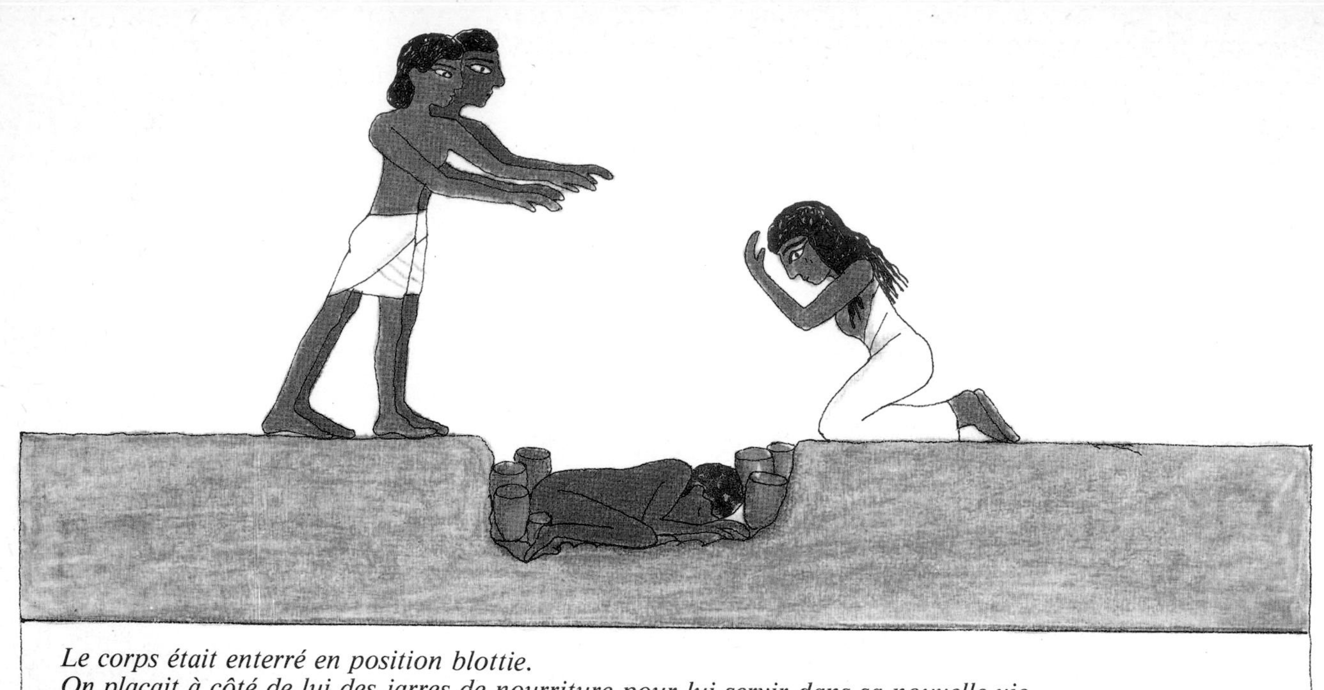

Le corps était enterré en position blottie.
On plaçait à côté de lui des jarres de nourriture pour lui servir dans sa nouvelle vie.

La momie est un corps qui a été séché afin de ne pas se décomposer.
Les premiers Égyptiens étaient momifiés naturellement.
Les corps étaient enterrés, et le sable chaud d'Égypte les desséchaient.
Les corps ainsi préservés devenaient aussi durs que la pierre et se fossilisaient.

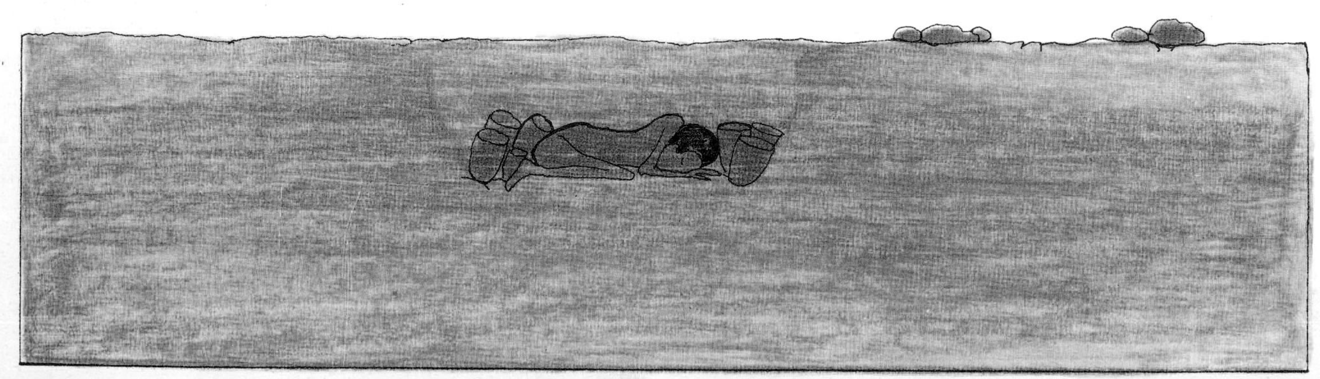

Avec le temps, les tombeaux devinrent plus élaborés.
Le cadavre était enveloppé dans un linceul de tissu ou de peau.
Il était enterré dans une fosse tapissée de bois ou de pierres ou dans une grotte.
Les corps non enterrés directement dans le sable étaient exposés à l'air, à l'humidité, aux bactéries.
Ils se décomposaient.

Alors les gens apprirent à embaumer, ou momifier leurs morts.
Il fallut des siècles pour pratiquer cet art à la perfection. Les embaumeurs devinrent si experts que leurs momies ont pu se conserver pendant des milliers d'années.

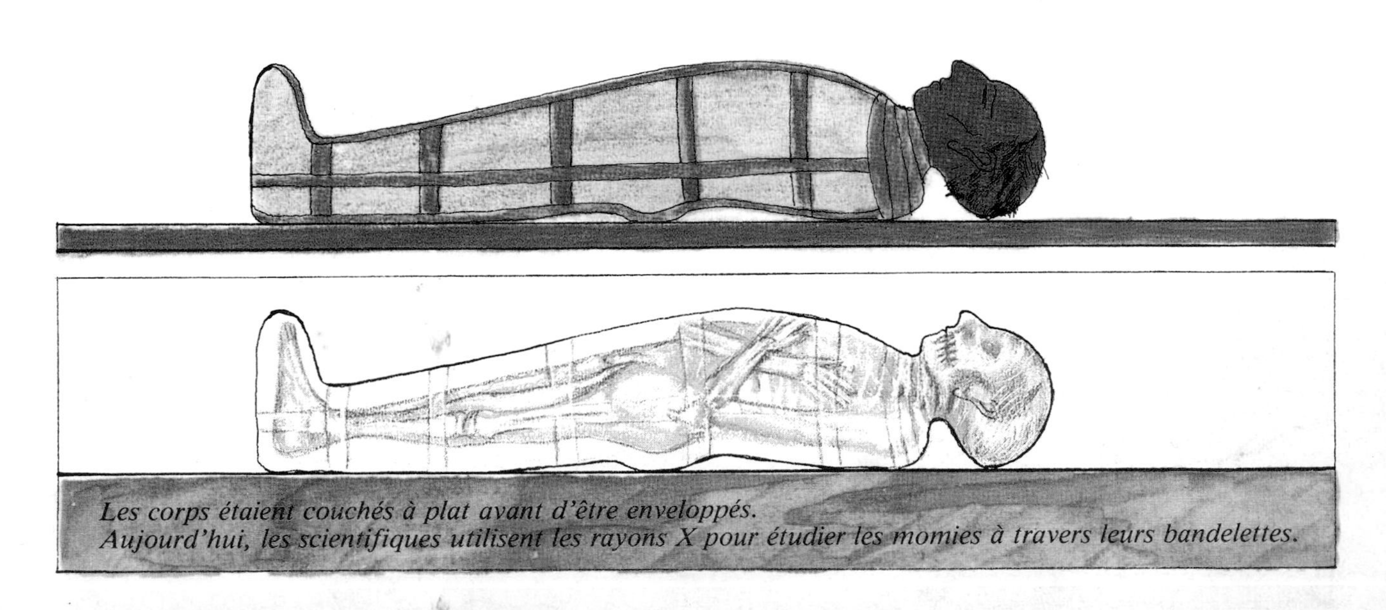

Les corps étaient couchés à plat avant d'être enveloppés.
Aujourd'hui, les scientifiques utilisent les rayons X pour étudier les momies à travers leurs bandelettes.

La momification était un procédé long, difficile et coûteux.
Les gens étaient momifiés et enterrés selon leurs revenus.
Les pauvres avaient un enterrement modeste.
Les nobles et les serviteurs des rois et des reines avaient un enterrement plus soigné.
Les pharaons, les rois d'Égypte, avaient les enterrements les plus riches.
La croyance voulait que le pharaon se transforme en un dieu après sa mort.
C'est pourquoi les pharaons étaient embaumés avec grand soin et enterrés avec éclat.

Les Égyptiens embaumaient aussi les animaux.
Ils les momifiaient de la même façon que les humains, et les enterraient en sacrifice à un dieu ou à une déesse.

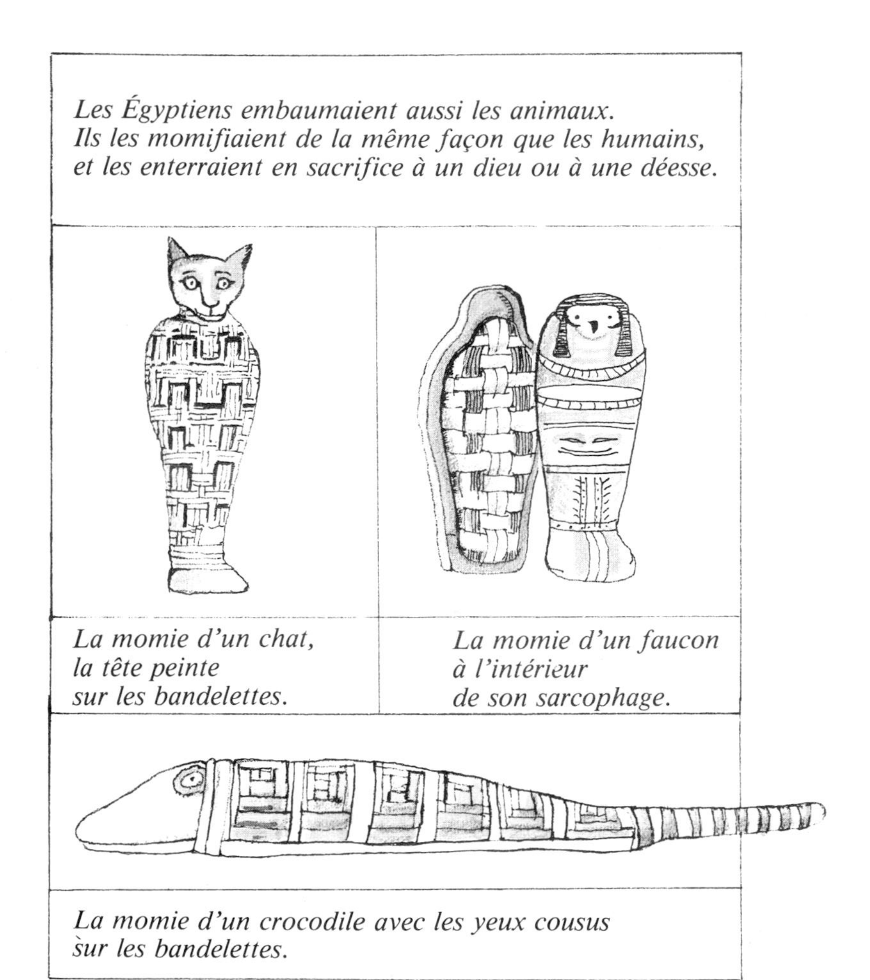

La momie d'un chat, la tête peinte sur les bandelettes.

La momie d'un faucon à l'intérieur de son sarcophage.

La momie d'un crocodile avec les yeux cousus sur les bandelettes.

Il fallait soixante-dix jours aux embaumeurs pour préparer le corps. Pour un enterrement noble ou royal, les embaumeurs travaillaient dans des ateliers près de la tombe où devait être enterrée la momie.

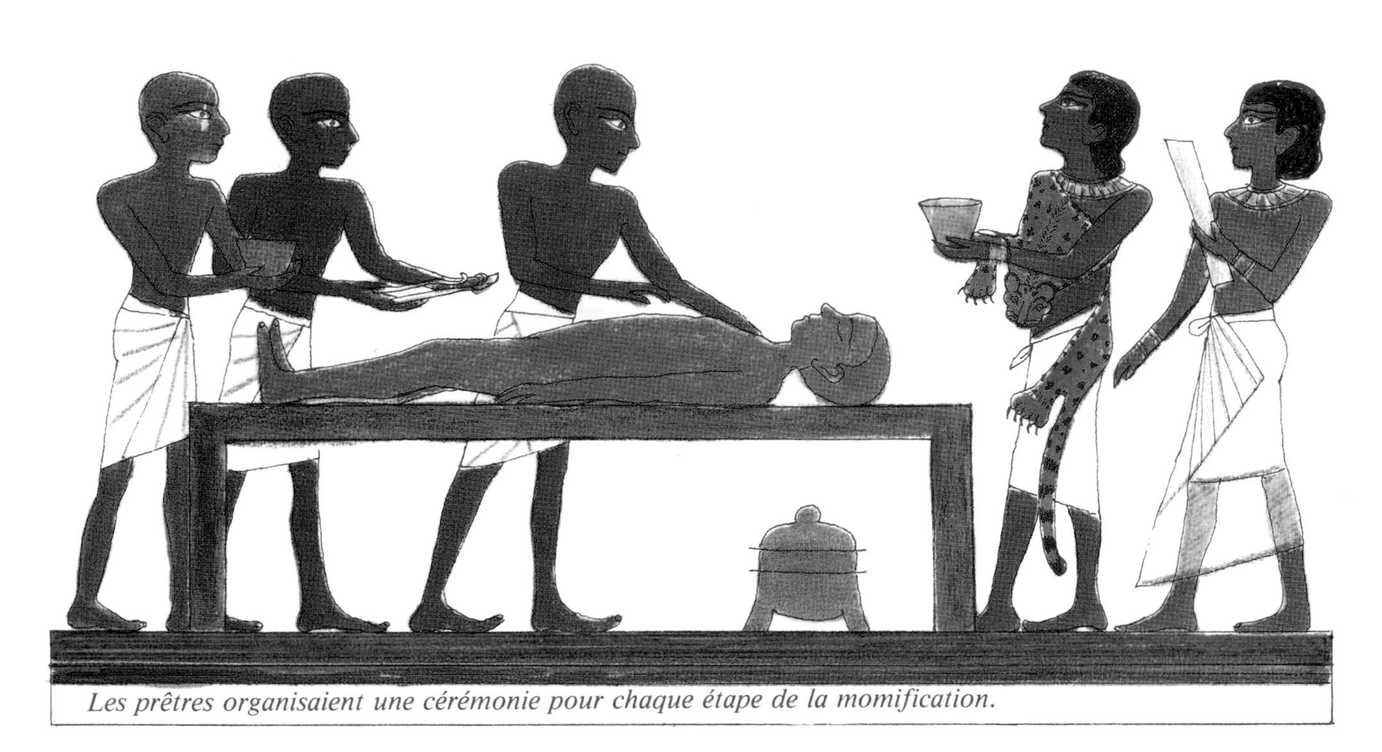

Les prêtres organisaient une cérémonie pour chaque étape de la momification.

Les assistants approvisionnaient les embaumeurs.

Les embaumeurs retiraient d'abord les organes internes.
Ils enlevaient la cervelle par les narines avec un crochet métallique.
Ils incisaient le côté gauche du corps et retiraient le foie, les poumons, l'estomac et les intestins.
Chacun de ces organes était embaumé dans un produit chimique, le natron, et placé dans un récipient, une jarre appelée canope. Le cœur restait en place.

*A une époque plus tardive,
le cœur était enlevé et embaumé,
et un scarabée en pierre le remplaçait.*

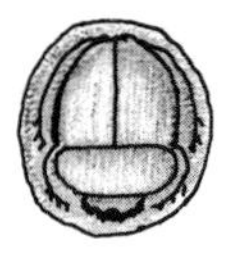

Des petits paquets de natron enveloppés dans une toile étaient placés à l'intérieur du corps.
L'extérieur était également recouvert de natron.
Le produit chimique séchait le corps de la même façon que le sable chaud.

Le cerveau était enlevé et probablement jeté.

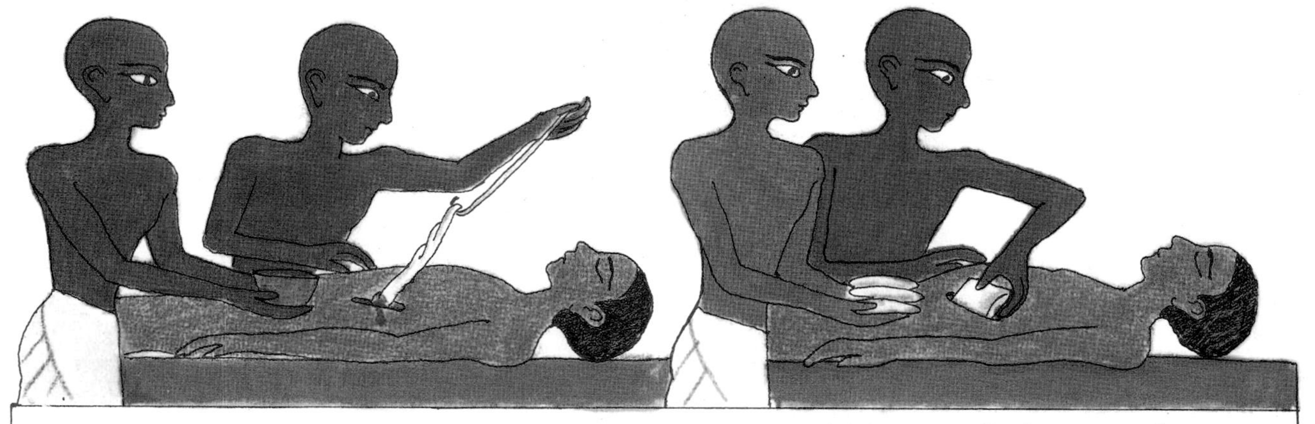

Les organes internes étaient enlevés.

La cavité était remplie de paquets de natron.

Le corps était placé sur une planche inclinée appelée "lit d'embaumement", comprenant une gouttière. Il était recouvert de natron, un produit chimique granuleux découvert dans les sédiments du Nil. Les liquides corporels s'écoulaient dans un récipient pendant que le corps séchait.

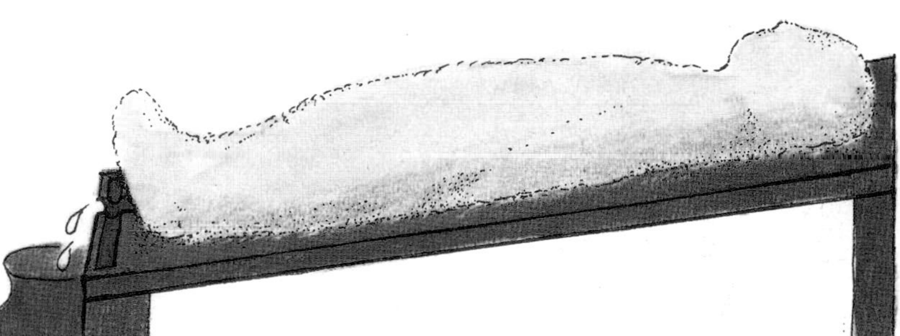

Les canopes et leurs dieux :

HAPY	DOUAMOUTEF	IMSETY	QEBHSENOUEF
Les poumons	*l'estomac*	*le foie*	*les intestins*

Les organes internes étaient momifiés séparément.
Chaque organe était enveloppé d'une toile et recouvert du masque du dieu qui le protégeait.
Le couvercle de la jarre portait aussi l'image du dieu.

L'incision faite par l'embaumeur était recouverte d'une plaque portant l'œil protecteur d'Horus.

Après quarante jours, l'enveloppe de natron était enlevée. Le corps, séché et ratatiné, était nettoyé et frotté d'huile, d'onguents, d'épices et de résine.
La tête et le corps étaient rembourrés de chiffons enduits des mêmes substances.
Les cavités des yeux étaient comblées avec de la toile et refermées.
Les narines étaient bouchées avec de la cire d'abeille.
Les bras étaient croisés et les ongles des mains et des pieds recouverts d'une couche d'or.
L'incision de l'embaumage était recousue.
La momie était parée de bijoux en or et de pierres précieuses.

Enfin, le corps était soigneusement entouré de longues et étroites bandes de tissu.
Les doigts, les orteils, les bras et les jambes étaient enveloppés individuellement.
Des linceuls de toile étaient placés entre les couches de bandelettes et celles-ci étaient enduites de résine qui les fixait les unes aux autres.
Après vingt couches de linceuls et de bandelettes, le corps de la momie prenait sa taille normale.
Il arrivait que pendant ce long processus, une partie du corps (une oreille ou orteil) tombe.
On la mettait alors, avec tout le matériel utilisé pour l'embaumement, dans des jarres qui étaient enterrées à côté de la tombe.

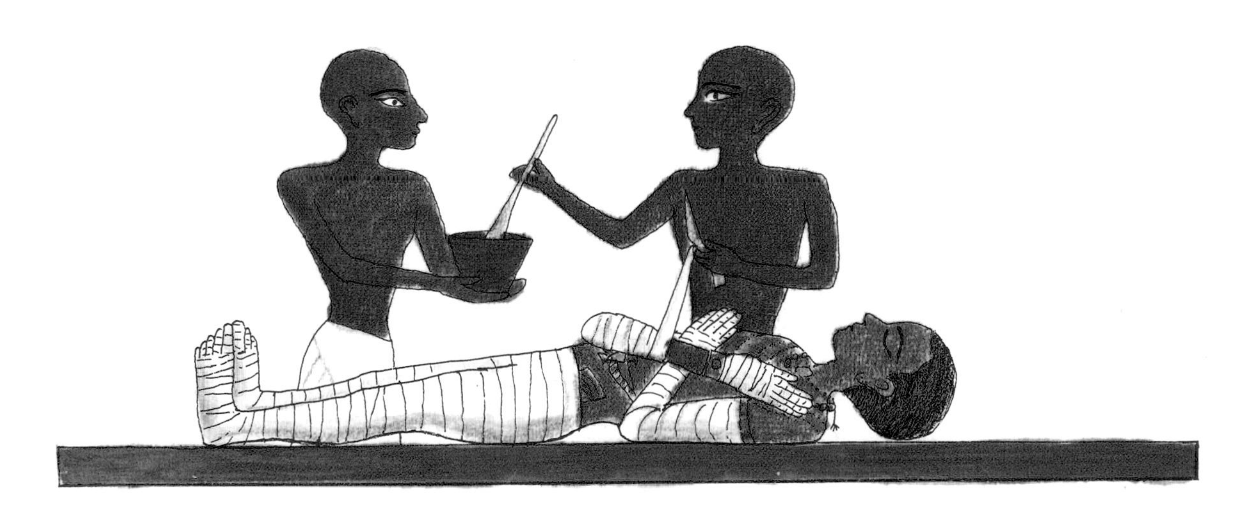

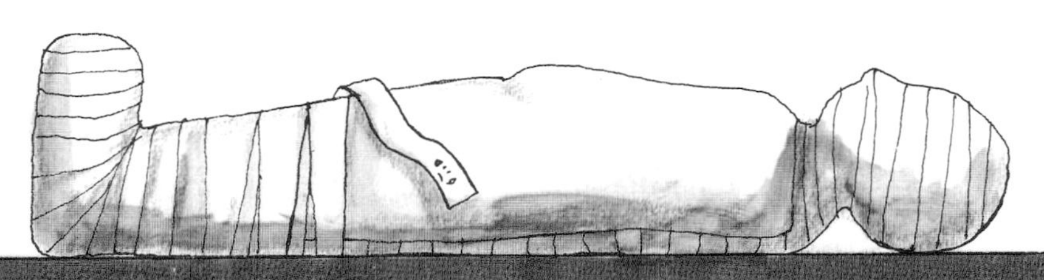

La première enveloppe de bandelettes était recouverte d'une espèce de linceul, recouvert lui-même d'une autre enveloppe de bandelettes, puis d'un autre linceul. L'opération était répétée vingt fois. Le nom de la personne figurait sur la dernière bandelette.

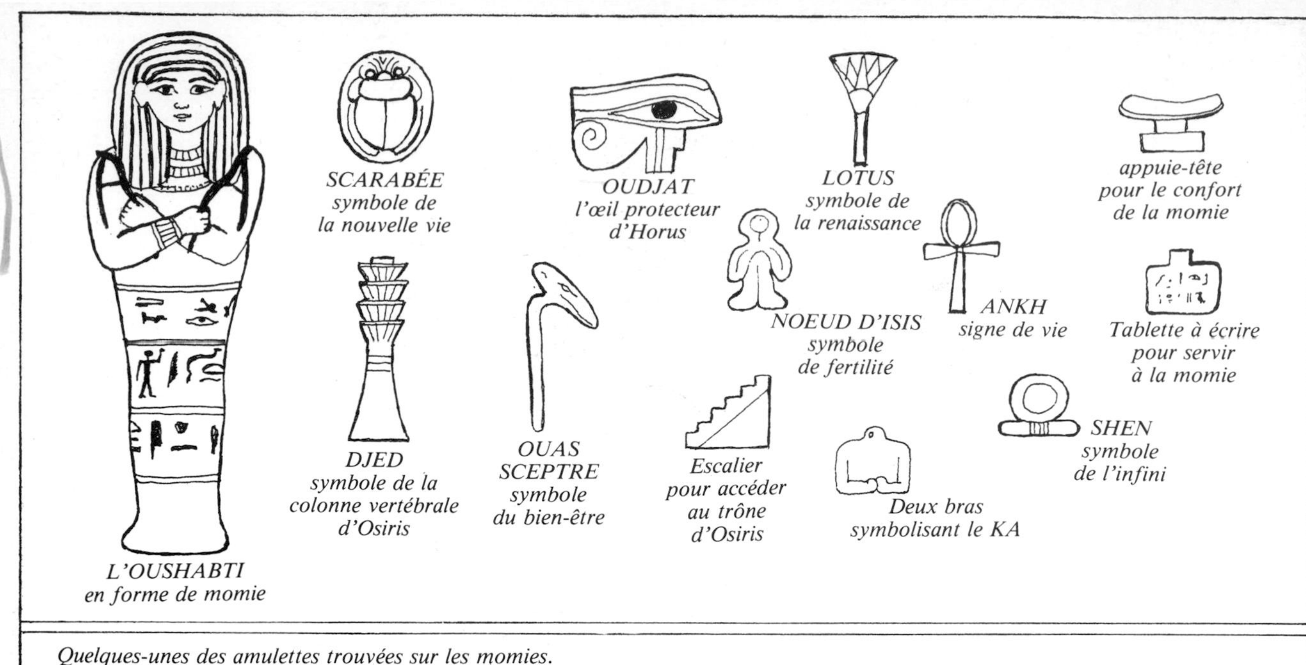

Quelques-unes des amulettes trouvées sur les momies.
Quelquefois, des centaines d'Oushabtis étaient enterrés avec la momie.

Des amulettes magiques étaient placées entre les bandelettes. Une petite momie spécialement reconstituée (appelée Oushabti) tenait des outils de paysan.
L'Oushabti travaillerait la terre, dans l'autre monde, pour la momie.

La tête enveloppée de bandelettes, était recouverte d'un masque représentant la personne.
Ainsi, si quelque chose arrivait à la momie, le BA et le KA pourraient toujours la reconnaître.
Le masque était également entouré de bandelettes.
Puis l'ensemble était mis dans une enveloppe enduite elle-même de résine.
Le momie était terminée.

Certains masques étaient réalisés dans une espèce de carton, un matériau fait de toile et de plâtre. Ils étaient ensuite moulés et peints. Quelquefois, les masques étaient fabriqués en or et garnis de pierres précieuses.
Souvent, ils portaient la barbe tressée d'Osiris.
Une collection de formules magiques appelée le Livre des Morts était enterrée avec la momie. Ces formules se présentaient sous forme de rouleaux de papyrus recouverts de textes et d'illustrations, et devaient aider le mort à trouver la vie éternelle.

Pendant un temps, les momies furent enterrées sur le côté afin qu'elles puissent voir grâce aux yeux peints sur le cercueil.

Ensuite, les momies furent enterrées dans un coffrage spécial réalisé en bois ou en plâtre et peint.

Pendant ce temps, des artistes très habiles, des sculpteurs et des menuisiers se préparaient pour l'enterrement.
Ils réalisaient un cercueil, ou une série de cercueils pour la momie.
Les cerceuils étaient des coffres peints à l'intérieur et à l'extérieur, et représentaient des dieux, des déesses, des formules magiques pour la protection de la momie.

Menuisiers préparant un cercueil pour la momie.

UNE SÉRIE DE TROIS CERCUEILS EN FORME DE MOMIE

La momie était placée dans le coffre intérieur.
Ce coffre était recouvert puis placé dans un second coffre recouvert qui s'ajustait dans le coffre extérieur. Celui-ci était recouvert. Finalement, ces coffres étaient placés dans un cercueil de pierre appelé sarcophage.
Des formules magiques étaient dessinées sur les coffres sous forme de hiéroglyphes, l'écriture utilisée dans l'Égypte ancienne.

On fabriquait les bijoux et le mobilier qui accompagneraient la momie dans sa tombe.
On sculptait des statues représentant le défunt, pour les placer dans la tombe.
Tout cela servirait de lieu de repos pour le BA et le KA, au cas où quelque chose arriverait à la momie.
Un spendide sarcophage de pierre était également réalisé pour contenir le coffre.

Les murs entourant les tombes royales étaient sculptés et peints de différentes scènes de la vie, qui devaient s'animer par magie.
Ces scènes montraient la nouvelle vie du défunt dans l'autre monde ; des danseurs et des musiciens pour l'amuser ; des serviteurs travaillant la terre et lui apportant la nourriture ; des dieux et des déesses pour l'accueillir.

Une longue et solennelle procession funéraire emmenait la momie à sa tombe.
La momie était placée sur un traîneau tiré par des bœufs.
Un autre traîneau emmenait les canopes placées dans un coffre.

Les prêtres, la famille, les serviteurs, et des personnes payées pour pleurer, suivaient en cortège.
Des porteurs transportaient des objets ayant appartenu au défunt pour les enterrer avec lui.

La tombe n'était plus simplement une fosse.
C'était une maison pour la momie, le BA et le KA, faite pour durer éternellement.
La tombe royale était aussi une forteresse contre les voleurs qui essayaient de dérober les momies et leurs trésors.

Pour les Égyptiens, les tombeaux étaient plus importants que les habitations.
Les gens les faisaient construire durant leur vie.
Pendant des siècles, les morts furent généralement enterrés dans des tombeaux appelés mastabas.
Les mastabas étaient construites en brique et en pierre.
Les mastabas royales comprenaient un grand nombre de chambres funéraires et étaient somptueusement sculptées et décorées.

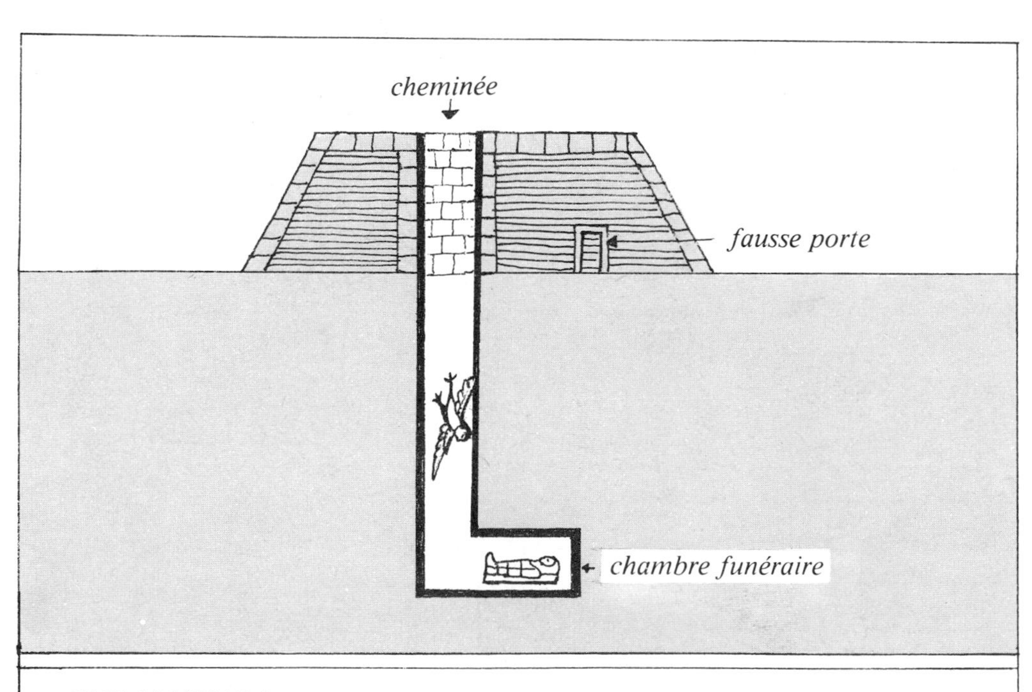

UNE MASTABA

La momie était descendue par la cheminée, jusqu'à la chambre funéraire. C'est ce même chemin qu'empruntait le BA pour retrouver la momie la nuit. Chaque tombeau avait une fausse porte par laquelle le KA pouvait entrer et sortir.

Avec les années, les pharaons emmenèrent de plus en plus de trésors dans leurs tombes.
Les tombeaux devinrent plus grands, plus résistants, plus élaborés.
Pendant longtemps, les pharaons firent construire des pyramides pour eux-mêmes.
Les pyramides étaient d'énormes monuments de pierres, construits par des centaines d'ouvriers qui y travaillaient toute leur vie.

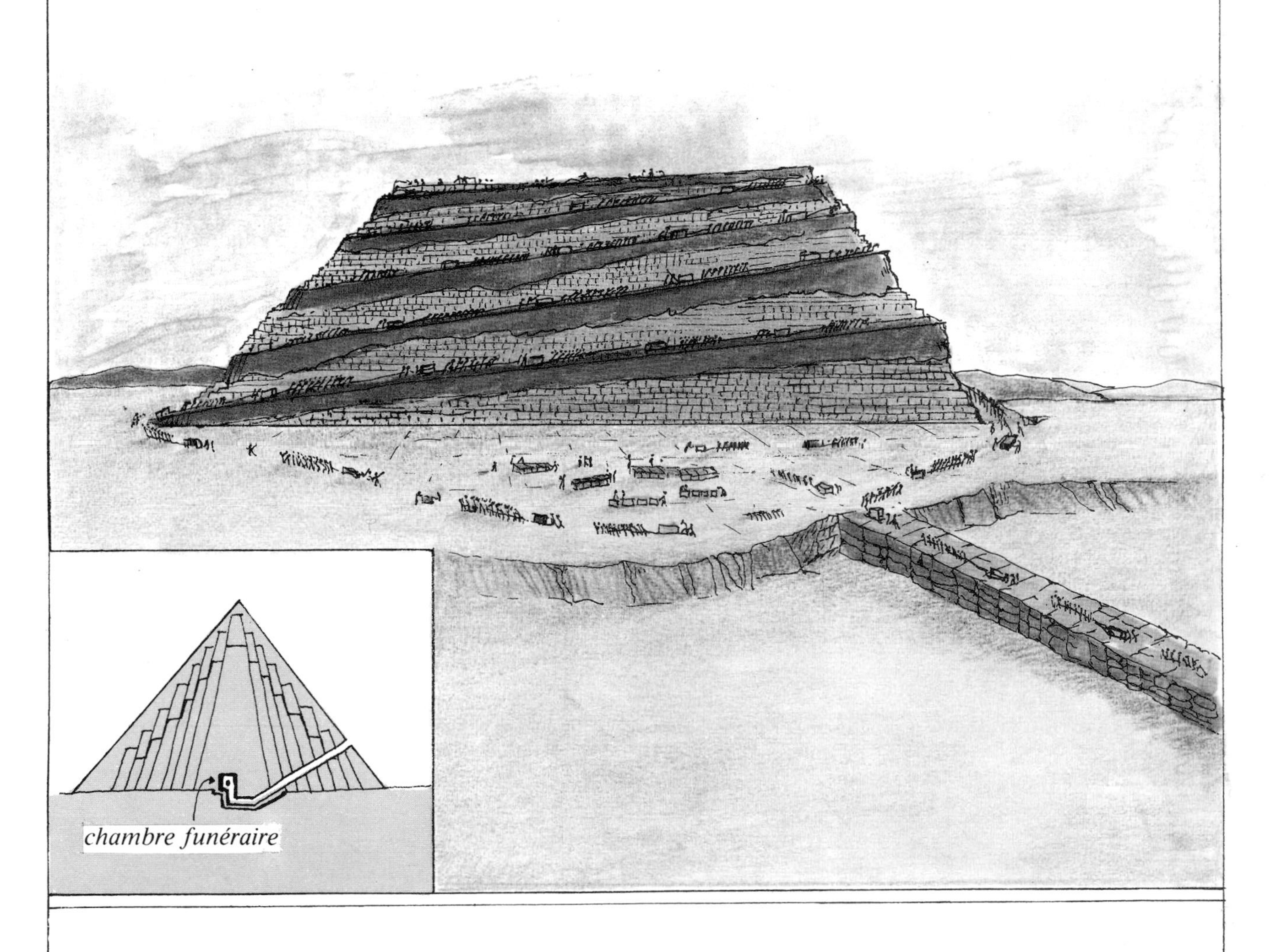

Des groupes d'ouvriers découpaient et charriaient les lourds blocs de pierre le long d'une rampe placée à chaque coin de la pyramide. Quand la pyramide s'élevait, une autre rampe était ajoutée. Il fallait deux millions de blocs de pierre pour construire une grande pyramide.

Les pyramides étaient construites dans le désert, à un endroit où la terre ne pouvait être cultivée. Quelquefois, le cortège funèbre transportait la momie en bateau sur le Nil. Le bateau qui transportait la momie était enterré à côté du tombeau afin d'être utilisé par le défunt dans sa nouvelle vie.

La pyramide recouvrait la chambre funéraire du pharaon. A ses côtés, il y avait les temples, les chambres de réserves à provisions, et les mastabas dans lesquelles la famille royale et les serviteurs seraient enterrés.
Plus tard, les pharaons furent enterrés dans des tombeaux souterrains tenus secrets, dans un endroit désert appelé la Vallée des Rois.
Les tunnels, les passages, les chambres et le tombeau lui-même étaient creusés profondément dans le roc et cachés à la vue.
Tout y était magnifiquement sculpté et peint.

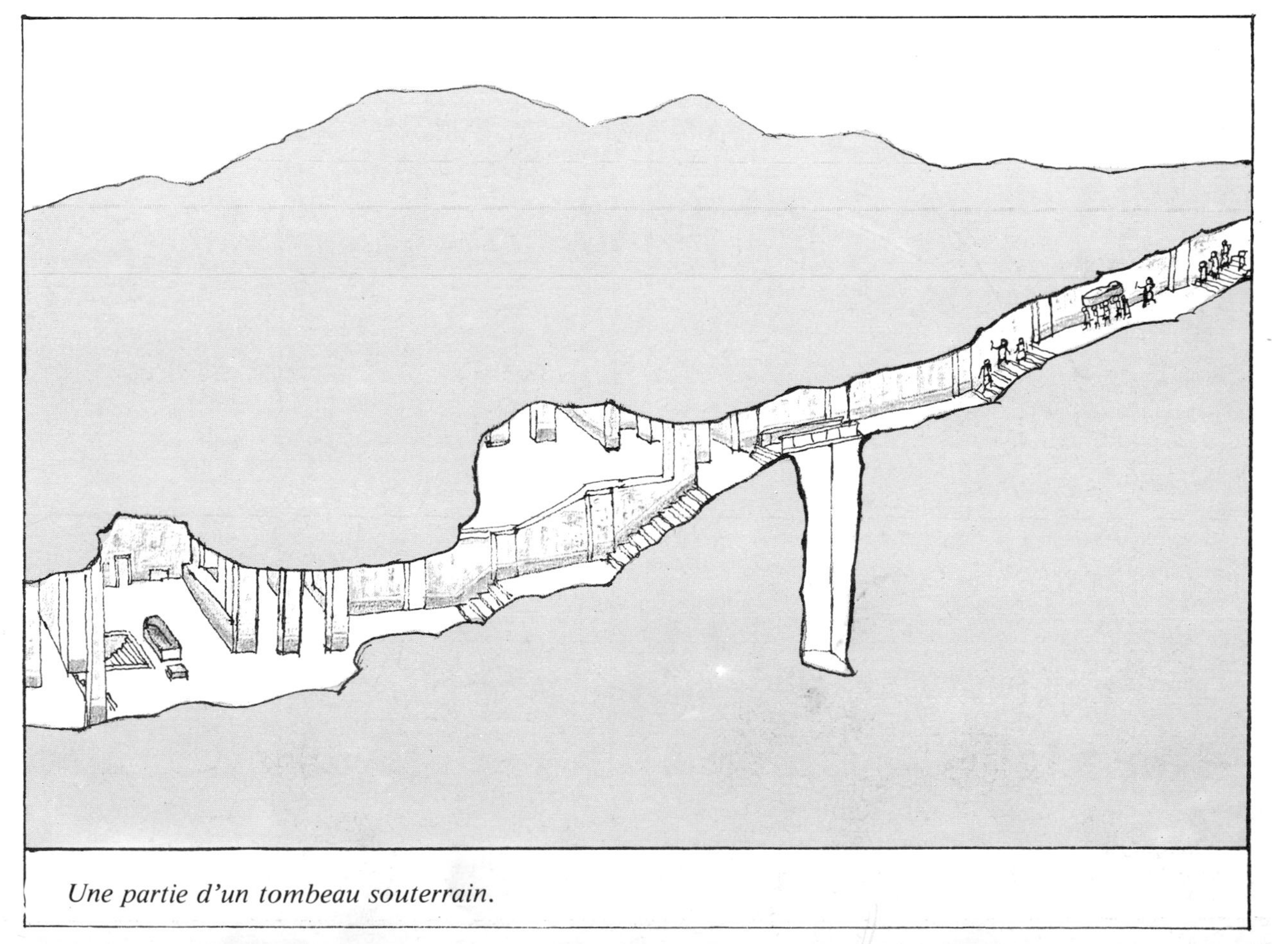

Une partie d'un tombeau souterrain.

Un prêtre, vêtu comme le dieu Anubis, tenait la momie debout pour la cérémonie.

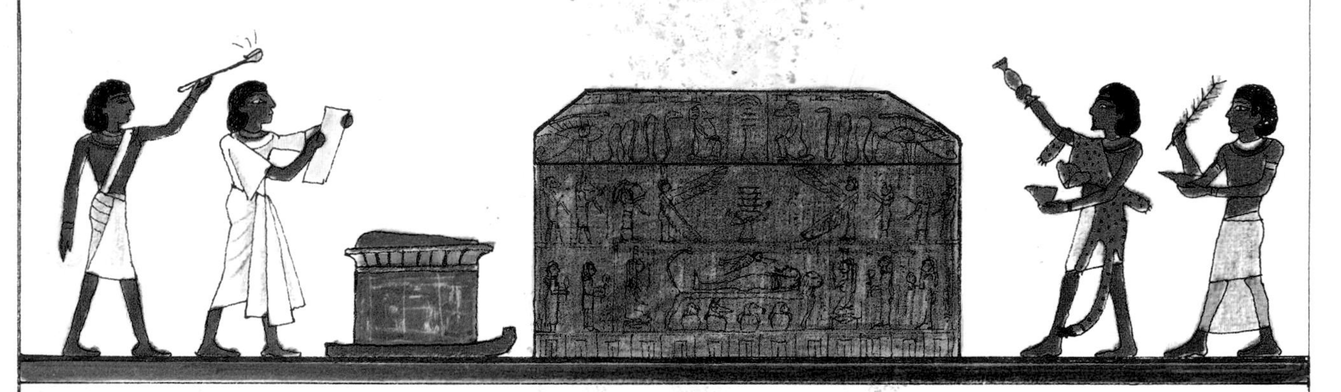

Le sarcophage était fermé.

Le cortège quittait la tombe pour le banquet des funérailles. Les nourritures restantes étaient enterrées à côté de la tombe. Les prêtres et la famille continuaient ensuite à se rendre au temple et à y déposer des offrandes de nourriture destinées au KA de la momie.

Les femmes pleuraient et se jetaient de la terre sur les cheveux.

Quand la procession funèbre arrivait à côté de la tombe, les prêtres procédaient à un dernier rituel pour la momie, appelé l'« Ouverture de la Bouche ».
La bouche de la momie n'était pas réellement ouverte, mais on croyait que la magie lui donnait la possibilité de parler et de manger à nouveau.

Puis la momie était déposée dans le sarcophage, qui était recouvert d'un lourd couvercle de pierre.
Le coffre contenant les canopes protégées par leurs propres dieux, était placé à côté.
Le cortège funèbre repartait, et l'entrée du tombeau était scellée par une dalle de pierre.

Enfin, la momie était installée dans sa demeure éternelle, et pouvait commencer sa nouvelle vie.

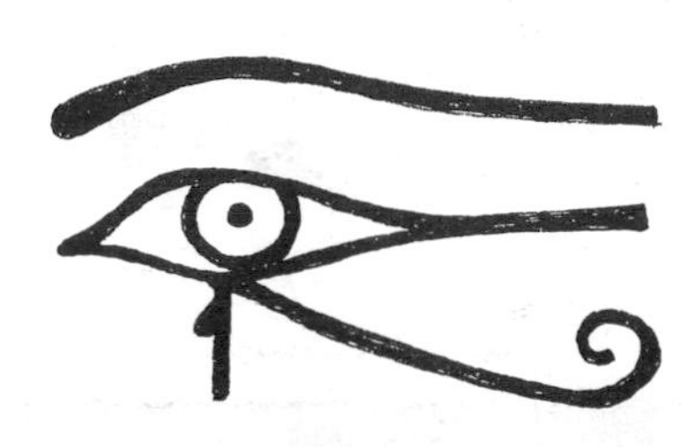

On dit que le premier Égyptien qui ait été momifié est Osiris, un roi légendaire.
Il fut embaumé par Anubis, le dieu chacal.
Quand Osiris mourut, il devint un dieu.
Il fut le Roi du Monde Souterrain et le Prince des Morts.
C'est dans le royaume d'Osiris que les morts souhaitaient aller.

De nombreuses illustrations de ce livre ont été adaptées des peintures et sculptures retrouvées dans les anciens tombeaux égyptiens.

Achevé d'imprimer
pour les Éditions du Sorbier.
Dépôt légal : 3e trimestre 1983.
Imprimé en Italie.
ISBN N° 2-7320-1000-6